Ir. Rosa Maria Ramalho

Brincar com Jesus

para se divertir e aprender

Paulinas

O menino Jesus é Deus

Deus se tornou um bebê.
Quando ele nasceu, Maria o protegeu do frio.
Os anjos cantaram para ele. Os pastores e os animais o rodearam com amor.

*Você pode emprestar sua cama para a mamãe deitar o bebê?
Então a desenhe e pinte. Complete o desenho com tudo o que você imaginar.*

Todas as crianças do mundo são irmãs de Jesus.
Mas são todas diferentes. Ninguém é igual a mim.
Gosto muito de ser quem sou.

*Desenhe você na janela do carro, ou cole uma foto.
Complete o desenho com tudo o que você imaginar.*

A família de Jesus

Quando Jesus tinha oito dias de idade os pais o apresentaram a Deus, no templo de Jerusalém.
Depois voltaram para casa, em Nazaré. Jesus cresceu e ficou forte.
Era muito amado por sua família.

Pinte a casa de Jesus e de sua família.

Querido Deus, agradeço pelas pessoas que me amam e cuidam de mim. Que nunca falte carinho e amor em minha família. Amém!

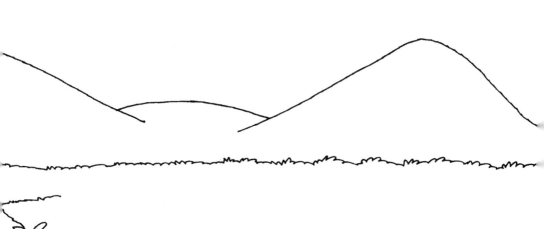

Desenhe e pinte sua casa, sua família, seus animais, suas plantas e tudo o que você quiser.
Faça uma estrada para a sua família ir visitar a família de Jesus.

Jesus é igual a nós

Jesus é Deus, mas é também igual a nós. Ele aprendeu a andar, a falar e a brincar. Em casa, todos os dias, rezava as orações da família, com José e Maria.

Imagine e desenhe onde Jesus está, quem está com ele e de que estão brincando.

A cada dia eu cresço um pouco. Sou inteligente e aprendo coisas novas.
Meu corpo se comunica.
Os olhos enxergam. A boca fala, canta, ri e come.
As mãos brincam, ajudam e fazem carinho. Os pés correm, andam e saltam.

Imagine, desenhe e pinte você levando seus brinquedos favoritos para brincar com Jesus.

Jesus amou as crianças

Jesus cresceu e se tornou mestre. Umas pessoas discutiam perto dele: "Eu sou o maior". "E eu sou o melhor!".
Jesus chamou uma criança, abraçou-a e disse:
"Sejam iguais às crianças. Quem amar uma criança é como se amasse a mim mesmo".

Pinte, desenhe tudo o que você imagina na cena e escreva sobre os pontinhos o que Jesus está dizendo.

Sou criança, Jesus me ama!
Também posso amar meus irmãos e irmãs, primos e primas, amigos e amigas. Posso amar as pessoas de minha idade e os adultos, assim como Jesus me ama.

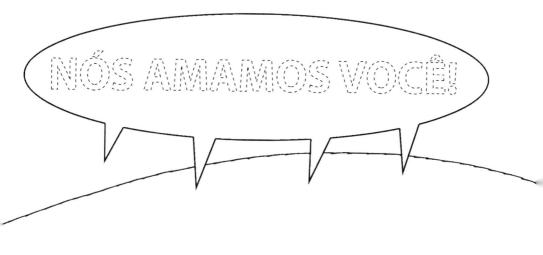

Recorte crianças em revistas e cole aqui.
Escreva sobre os pontinhos o que elas respondem a Jesus.

Jesus amou a natureza

As histórias de Jesus tinham personagens da natureza.
Eram ninhos de pássaros nas árvores, raposas em suas tocas, ovelhas a pastar e galinha com pintinhos.
Jesus admirava e estimava os animais.

Cuidar das plantas, dos animais e não jogar lixo no chão ou pelas ruas é amar como Jesus amou.
Ele cuidava de tudo com carinho.
Você tem plantas ou animais em casa?
O que você pode fazer para tratá-los com amor?

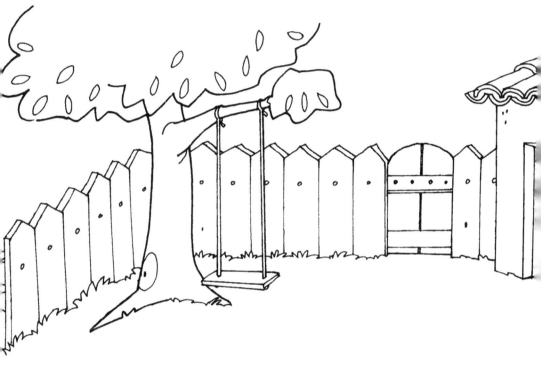

Encontre os animais escondidos na floresta e desenhe todos eles no seu quintal. Coloque tudo de que eles precisam para viver: árvores de frutas, grama, água e tudo o que você imaginar.

Jesus cuidou das pessoas doentes

Jesus tinha compaixão de quem sofria.
Um dia, ele encontrou uma vovó doente, com muita febre.
Sentou ao lado da cama e tomou sua mão com carinho.
Ela se sentiu melhor e levantou-se. Estava curada.

Recorte e cole ou desenhe tudo o que você imagina nesta cena.

Não é legal estar doente. A saúde é presente de Deus.
Você pode agradecer por sua saúde e pela saúde das pessoas que você ama.
Você conhece alguém que está doente?
O que você pode fazer para mostrar seu carinho?

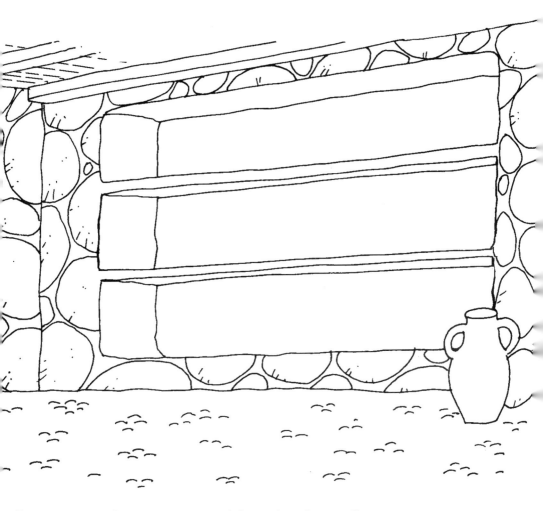

Faça uma entrevista com pessoas adultas e descubra os alimentos que protegem a saúde.
Desenhe ou cole esses alimentos na prateleira da vovó.

Jesus cuidou de quem tinha fome

Jesus e seus amigos foram passear em um campo de grama verde.
Ali havia muita gente querendo ficar perto de Jesus.
O tempo passou e todos tiveram fome, mas ninguém foi embora.
Jesus pegou o pão e o peixe que havia para o lanche
e, depois de rezar a Deus Pai, pediu que os repartissem.
Era uma multidão, mas o alimento deu para todos e ainda sobrou.

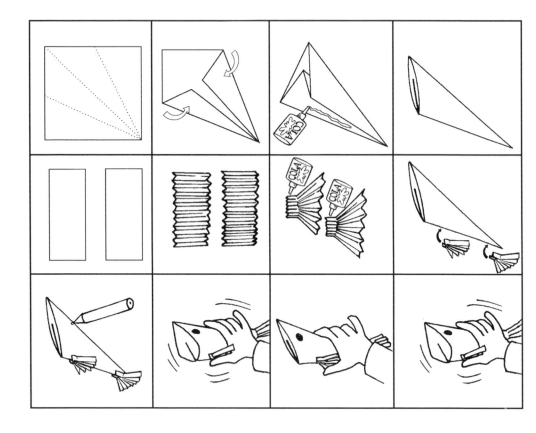

Faça o peixinho com papel colorido e brinque com ele.

Oração antes das refeições

Jesus, agradeço pelo alimento tão gostoso que é preparado para mim por pessoas que me amam.
Peço a você que nenhuma criança do mundo passe fome. Amém!

Encha a mesa de alimentos e desenhe tudo o que você imagina nesta cena.

Jesus ajudou a quem precisava

Jesus contou a história de um homem que foi assaltado e ficou ferido na estrada.
Passaram várias pessoas apressadas e não o socorreram.
Mais tarde um viajante o encontrou, teve pena dele,
fez curativo nas feridas e o levou até a pousada mais próxima.
No fim da história, Jesus elogiou a bondade daquele viajante.

Posso ouvir as pessoas que me chamam, como Jesus fazia.
Posso ajudar e fazer muitas coisas boas.
É só começar: na família, na catequese, na escola.
É muito bom ajudar as pessoas e vê-las felizes.

Procure na cena as pessoas que precisam de ajuda.
Escolha e desenhe perto delas o que você vai usar para ajudá-las.

Jesus gostava de presentes

Uma vez, Jesus perguntou aos pais e às mães das crianças:
"Se seu filho ou sua filha pede um pão, você dá uma pedra?
Se pede um peixe, você dá uma serpente?".
Todos responderam: "Não".
Então, Jesus continuou: "Vocês amam as crianças e dão o melhor para elas.
Deus também nos ama e quer ver felizes os seus filhos e filhas".

Desenhe a sala de sua casa e seus familiares conversando com Jesus.

Um presente me faz feliz, quando o recebo e quando o dou.
Como é gostoso receber presentes!
E é mais gostoso ainda presentear alguém.
Pode ser somente um abraço, um sorriso ou uma ajuda.

Faça seu papel de presente:
Recolha folhas de árvores e pinte-as como quiser.
Aperte-as levemente sobre uma folha de papel de qualquer cor.
Deixe secar e embrulhe um presente para quem você ama.

Podemos rezar com Jesus

As pessoas rodeavam Jesus o dia inteiro.
Mas à noite, enquanto todas dormiam, ele ia rezar e falar com Deus Pai.
Quem ama conversa com a pessoa amada.

Procure na cena as coisas muito estranhas e deixe sem pintar.

Oração da noite

Meu querido Deus, agradeço por tudo o que você fez hoje por mim.
Pelo alimento que me deu força, pela escola onde fui aprender e brincar,
pela família que me deu carinho e amor.
Agora vou dormir. Quero sentir sua presença nos meus sonhos. Amém.

Desenhe Jesus rezando a seu lado, sentado na cama.

Jesus conversava com Deus Pai

Os amigos e as amigas de Jesus pediram que os ensinasse a rezar. Ele, então, convidou todos a chamar Deus de Pai, assim como ele o chamava. Você conhece a oração que Jesus ensinou?

Pai nosso que estais nos céus,
Santificado seja o vosso nome!
Venha a nós o vosso reino!
Seja feita a vossa vontade,
Assim na terra como no céu!

O pão nosso de cada dia nos dai hoje.
Perdoai as nossas ofensas,
Assim como nós perdoamos
A quem nos tem ofendido.
E não nos deixeis cair em tentação,
Mas livrai-nos do mal,
Pois vosso é o reino,
O poder e a glória para sempre!

(Pai-Nosso ecumênico)

Desenhe na roda as pessoas que você ama.
Peça a alguém que ensine você a rezar o Pai-Nosso.

Você pode conversar com Deus.
É gostoso falar com as pessoas que amamos e que nos amam.
Você pode contar a Deus tudo o que lhe acontece.
Assim, seu coração ficará cheio de alegria.

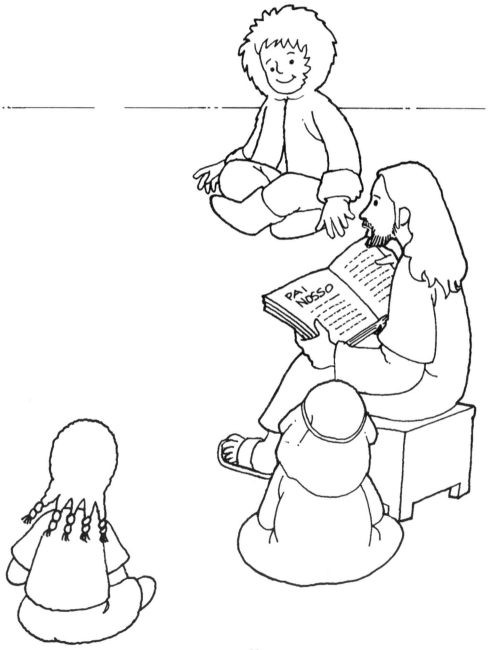

Dados Internacionais de Catalogação na Publicação (CIP)
(Câmara Brasileira do Livro, SP, Brasil)

Ramalho, Rosa Maria
    Brincar com Jesus para se divertir e aprender / Rosa Maria Ramalho ;
ilustrações Soares. – 7. ed. – São Paulo : Paulinas, 2013. – (Coleção avulso)

    Bibliografia.
    ISBN 978-85-356-3503-4

    1. Brincadeiras 2. Catequese – Igreja Católica I. Soares. II. Título.
III. Série.

13-03628   CDD-268.67

Índice para catálogo sistemático:
1. Catequese : Uso de brincadeiras   268.67

7ª edição – 2013
5ª reimpressão – 2023

Direção-geral: *Flávia Reginatto*
Editora responsável: *Maria Inês Carniato*
Assistente de edição: *Denise Katchuian Dognini*
Coordenação de revisão: *Andréia Schweitzer*
Revisão: *Ana Cecilia Mari e Valentina Vettorazzo*
Direção de arte: *Irma Cipriani*
Gerente de produção: *Felício Calegaro Neto*
Produção de arte: *Everson de Paula*
Ilustrações: *Soares*

Revisado conforme a nova ortografia.

*Nenhuma parte desta obra poderá ser reproduzida ou transmitida
por qualquer forma e/ou quaisquer meios (eletrônico ou mecânico,
incluindo fotocópia e gravação) ou arquivada em qualquer sistema ou
banco de dados sem permissão escrita da Editora. Direitos reservados.*

Paulinas
Rua Dona Inácia Uchoa, 62
04110-020 – São Paulo – SP (Brasil)
Tel.: (11) 2125-3500
http://www.paulinas.com.br – editora@paulinas.com.br
Telemarketing e SAC: 0800-7010081
© Pia Sociedade Filhas de São Paulo – São Paulo, 2003